Liebe Eltern,

jedes Kind ist anders. Darum muss sich
die konzeptionelle Entwicklung von
Lesetexten für Kinder unbedingt an den
besonderen Lernentwicklungen des
einzelnen Kindes orientieren. Wir haben deshalb für
unser Bücherbär-Erstleseprogramm 5 Lesestufen
entwickelt, die aufeinander aufbauen. Sie entsprechen
den Fähigkeiten, die notwendig sind, um das Buch zu
(er-)lesen und zu verstehen. Allein das Schuljahr eines
Kindes kann darüber nur wenig aussagen.
Welche Bücher für Ihr Kind geeignet sind, sehen Sie in
der Übersicht auf der Buchrückseite.
Unser Erstleseprogramm holt die unterschiedlich
entwickelten Kinder dort ab, wo sie sind. So gewinnen sie
Lesespaß von Anfang an – hoffentlich ein Leben lang.

Prof. Dr. Peter Conrady
Hochschullehrer an der Universität Dortmund
und Erfinder des Leselern-Stufenkonzepts

In Zusammenarbeit mit dem *Westermann* Schulbuchverlag

Der Bücherbär

Kleine Geschichten

Dieses Buch gehört:

_____

Volkmar Röhrig,
geboren 1952 in Lützen, studierte Germanistik und
Kulturwissenschaft, arbeitete u. a. als
Hörspieldramaturg, Regieassistent und Lektor.
Heute betreibt er eine PR-Agentur und schreibt
erfolgreich Hörspiele sowie Kinder- und Jugendbücher.
Er lebt in Leipzig und Mainstockheim.

Falko Honnen
ist im Rheinland geboren und aufgewachsen.
Er studierte Grafikdesign im Fachbereich Illustration in
Bremen und Köln. Seit 1989 ist er als selbstständiger
Illustrator für verschiedene Verlage tätig.

Volkmar Röhrig

Fußballgeschichten

Mit Bildern von Falko Honnen

Arena

®
MIX
Papier aus verantwor-
tungsvollen Quellen
FSC
www.fsc.org
FSC® C022125

6. Auflage 2011
© Arena Verlag GmbH, Würzburg 2006
Alle Rechte vorbehalten
Einband und Illustrationen: Falko Honnen
Gesamtherstellung: Westermann Druck Zwickau GmbH
ISBN 978-3-401-08897-6
∗∗∗
www.arena-verlag.de

Inhalt

Dribbeln wie Ballack

Max guckt das Spiel
seiner Lieblingsmannschaft.
Gerade fliegt der Ball
quer übers Mittelfeld.
Genau zu Michael Ballack.
Der Spieler vom FC Bayern
stürmt damit zum Tor.
Er schlägt drei, vier Haken
um die gegnerischen Verteidiger.
Max staunt und denkt:
So möchte ich dribbeln können!
Der Torwart rennt aus dem Tor.
Aber Ballack trickst auch ihn aus
und knallt den Ball
wie eine Kanonenkugel
unhaltbar in den Kasten!

Max springt vorm Fernseher hoch
und schreit: „Tor! Tor! Tor!"
Dann seufzt er: „So möchte ich
dribbeln können!"

Oma fragt neugierig:
„Was ist dribbeln?"
Max erklärt: „Siehst du,
wie Ballack mit dem Ball
um die Gegner herumläuft,
wie er sie austrickst?"
„Ja", sagt Oma.
„Wie ein Hase im Zickzack.
Ist doch kinderleicht!"
Max schüttelt den Kopf:
„Du hast doch wirklich
null Ahnung von Fußball!"
Oma antwortet nicht.
Aber sie beobachtet interessiert
das Spiel bis zum Abpfiff.
Dann sagt sie:
„Los, zieh deine Fußballsachen an.
Ich habe eine Idee!"

Mit großen Schritten
marschiert Oma in den Park.
Max folgt ihr neugierig.
Mitten im Park sagt sie:
„Jetzt lernst du dribbeln!"
Max lacht.
„Hier stehen doch überall Bäume!"
Oma schüttelt den Kopf.
„Das sind keine Bäume.
Das sind gegnerische Spieler.
Und die Bank da vorn ist das Tor!"
Max guckt erst erstaunt.
Dann begreift er, was sie meint.

„Los", sagt Oma.

„Immer um die Bäume herum.

Wie ein Hase im Zickzack!"

Max läuft mit dem Ball los.

Um den ersten Baum herum.

Dann um den zweiten, den dritten.

„Tempo!", ruft Oma.

„Der Ballack war viel schneller!

Du schläfst ja fast ein!"

Max stürmt,

der Ball fliegt

gegen einen Baum

und prallt zurück.

Oma kritisiert:

„Miserabler Fehlpass!"

Max flitzt im Zickzack.

Plötzlich kann er

einem Baum nicht ausweichen.

Rumms!, knallt er dagegen.
Oma protestiert wieder:
„Klares Stürmerfoul!
Gelbe Karte!"
Max stürmt weiter.
Kurz vor der Bank ruft sie:
„Schieß! Schieß!"
Er tritt den Ball.
Doch der fliegt weit
an der Bank vorbei.

Oma guckt auf die Uhr
und sagt kritisch:
„Zwei Minuten für das kurze Stück!
Und kein Tor geschossen!
Los, noch mal!"
Beim nächsten Mal braucht
Max anderthalb Minuten.
Beim dritten trifft er die Bank.

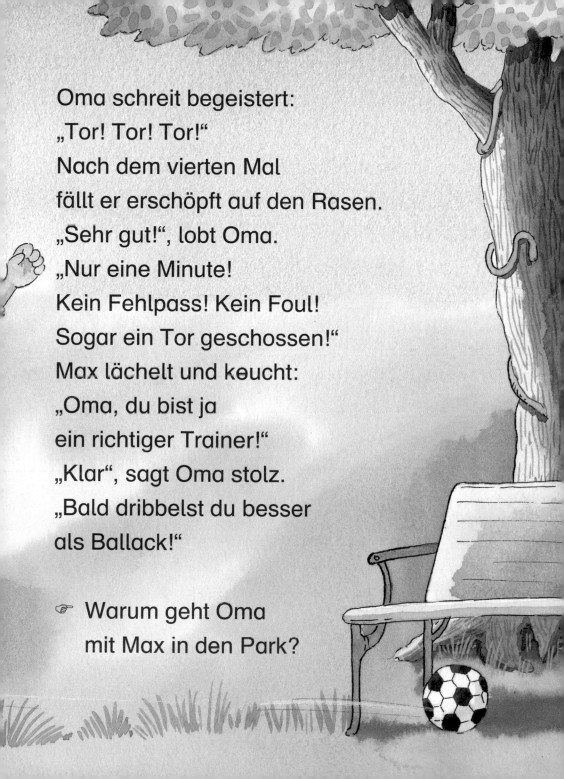

Oma schreit begeistert:
„Tor! Tor! Tor!"
Nach dem vierten Mal
fällt er erschöpft auf den Rasen.
„Sehr gut!", lobt Oma.
„Nur eine Minute!
Kein Fehlpass! Kein Foul!
Sogar ein Tor geschossen!"
Max lächelt und keucht:
„Oma, du bist ja
ein richtiger Trainer!"
„Klar", sagt Oma stolz.
„Bald dribbelst du besser
als Ballack!"

☞ Warum geht Oma
   mit Max in den Park?

Einfach nur spielen

Lukas kommt nach Hause.
Heute hat er das erste Mal
im Fußballverein trainiert.
Es duftet nach seinem
Lieblingsessen.
Vater fragt: „Na, wie war
das erste Training?"
„Doof!", antwortet Lukas trotzig
und wirft die Sporttasche
in den Flur.
Vater sieht ihn erstaunt an.
Mutter ruft: „Kommt essen!"

Auf dem Tisch steht eine Schüssel
mit dampfenden Spaghetti.
„Was war denn so schlimm?",
fragt Vater beim Essen.
„Alles!", sagt Lukas wütend.
„Ich habe verloren!"
„Quatsch!", nuschelt sein Vater
mit vollem Mund.
„Fußball ist doch ein Teamspiel.
Da gewinnt nicht der beste
und verliert nicht
der schwächste Spieler,
sondern die ganze Mannschaft.
Außerdem musst du lernen
zu verlieren!"
Lukas guckt ihn verständnislos an.
Vater nickt. „Gewinnen musst du
nicht lernen, oder?

Du wirfst einfach
die Arme hoch und schreist:
‚Hurra, wir gewinnen!'
Aber wenn du verlierst?
Reißt du da auch die Arme hoch
und rufst: ‚Hurra, wir verlieren?'"
Lukas schüttelt den Kopf.
Und Vater erklärt weiter:
„Man muss verlieren können
ohne Wut oder Streit.
Nur so wird man besser!"
Lukas denkt nach.

Plötzlich schiebt er
seinen Teller weg.
„Ich soll auch abnehmen
und fit werden!"
Mutter fragt empört:
„Wer hat diesen Blödsinn gesagt?"
Lukas schnauft. „Der Trainer.
Und die anderen haben gelacht!"
Dann heult er los:
„Ich . . . ich wollte doch
einfach bloß Fußball spielen!"
Die Mutter erschrickt.
Der Vater sagt entschieden:
„Wir beide spielen wieder.
So wie früher!"
Lukas schüttelt den Kopf.
„Du hast doch keine Zeit mehr!"
Aber der Vater nickt.

„Doch! Die Zeit nehme ich mir!"
Lukas wischt sich die Tränen weg.
Vater lächelt ihn an.
„Großes Ehrenwort!"
„Klasse!", sagt Lukas und lacht.
„Jetzt habe ich Hunger auf Spaghetti!"

☞ Vater sagt, dass Lukas
   etwas Wichtiges lernen sollte.
   Weißt du, was er meint?

Starke Mädchen

Cora und Doro betreten
das Stadion.
Gegenüber erhebt sich die Tribüne.
Vor ihnen liegt das Spielfeld.
Cora ist begeistert:
„Hier will ich kicken!"
Doro nickt. „Ich auch!"
Eine Jungenmannschaft kommt
aus der Kabine.
„He!", ruft einer.
„Seid ihr unsere Fans?

Wollt ihr Autogramme?"
Cora kichert. „Quatsch!
Wir wollen trainieren und spielen!"
„Genau", sagt Doro
und zeigt ihre Fußballschuhe.

Die Jungs lachen sie aus.
„Ha, Mädchen
in unserer Mannschaft!",
ruft einer.
„Ihr heult doch,
wenn man mal foult!"
Ein anderer ruft:
„Ihr trefft ja nicht mal das Tor!"
Der Trainer kommt.

„Können wir mitspielen?",
fragen Cora und Doro.
Der Trainer schickt die Jungs
zum Tor.
„Übt mal! Ich komme gleich."
Dann erklärt er den beiden:
„Das geht nicht.
Wir sind eine Jungenmannschaft."

Er überlegt: „Wollt ihr nicht lieber skaten
oder Pony reiten?"
Die Jungs schießen ihre Bälle
auf das Tor.
Einige fliegen vorbei,
die anderen hält der Torwart.
Doro sagt bestimmt:
„Wir wollen Fußball spielen!"
Sie läuft zum Tor,
schnappt sich einen Ball
und schießt.
Der Torwart hechtet danach,
aber unhaltbar knallt
das Leder in die rechte Ecke.
Die Jungen murmeln erstaunt.
„Pah!", sagt der Torwart ärgerlich.
„Das war Zufall!"
Cora lacht.

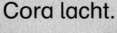

„Mal sehen,
ob du meinen Schuss hältst."
Dann jagt sie den Ball
genau in das linke obere Eck.
Der Torwart tritt wütend
gegen den Pfosten.
„So!", sagt Doro.
„Jetzt seid ihr dran!"
Die Jungs gucken sich unsicher an.
Der Trainer hebt verlegen
die Schultern.

27

„Ihr habt Talent", sagt er.
„Trotzdem könnt ihr nicht
bei uns spielen."
„Komm", sagt Cora
und zieht Doro am Arm.
„Es ist ein schönes Stadion.
Aber die Spieler sind Nieten,
und der Trainer ist doof!"
„Stimmt", sagt Doro.
„Wir suchen uns
eine andere Mannschaft!"

☞ Woran kann man sehen,
dass Cora und Doro
gute Spielerinnen sind?

Der Beste im Tor

Benjamin legt den Ball
auf den Rasen und nimmt Anlauf.
Bobby zappelt aufgeregt im Tor.
Benjamin schießt mit voller Wucht.
Bobby springt,
streckt sich und fängt den Ball.
„Hurra! Wieder gehalten",
schreit Bobby.
Dabei freut er sich
wie ein kleines Kind.
Benjamin freut sich mit.
Obwohl er kein Tor geschossen hat.
Denn die beiden sind Brüder.
Bobby ist schon zwölf.
Doch tatsächlich ist er
wie ein kleines Kind.

Er ist geistig behindert.

Manches versteht er nicht.

Er lacht gern und laut.

Aber im Tor hält er

fast jeden Ball.

Benjamin dagegen ist sieben.

Er kümmert sich sehr

um seinen großen Bruder.

Er bringt ihn morgens zur Schule.

Er holt ihn auch wieder ab.

Am Nachmittag spielen sie

oft zusammen Fußball.

In ihrer Nähe gibt es
keinen Fußballplatz.
Es gibt nur den Spielplatz im Park.
Ein Klettergerüst
und eine Rutsche sind da.
Im Sandkasten buddeln
kleine Kinder.
Auf den Bänken sitzen Erwachsene
und schauen zu.
Daneben ist die Wiese,
auf der die Brüder immer spielen.
Manchmal liegen Hundehaufen da.
Manchmal ärgern sich Erwachsene,
weil Fußball spielen sie stört
oder Bobbys Schreien und Lachen.

„Ätsch!", schreit Bobby glücklich.
„Du hast noch
kein Tor geschossen!"
Benjamin legt den Ball zurecht.
Ein Mann mit einer Zeitung
guckt verärgert herüber.
Benjamin schießt.

Bobby wehrt den Ball
mit der Faust ab.
Er fliegt in hohem Bogen
in den Sandkasten.
Sofort kreischt ein kleiner Junge:
„Papa! Der hat
meine Burg kaputtgemacht!"
Der Mann mit der Zeitung
springt auf
und schnappt den Ball.
„Schluss jetzt!", schimpft er.
„Das ist ein Kinderspielplatz!"

„Es war doch keine Absicht",
sagt Benjamin erschrocken.
„Ich will auch spielen!",
schreit Bobby.
Der Mann sagt wütend:
„Ihr kriegt den Ball nur zurück,
wenn ihr verschwindet!"
„Böser Mann, bäh!",
schreit Bobby.
„Komm, Brüderchen",
sagt Benjamin.
„Du bist viel klüger als der!"

☞ Warum nimmt der Mann
   Bobbys Ball weg?

Ein Platz für alle

Bobby und Benjamin laufen traurig
durch den Park.
Plötzlich ruft Bobby:
„Guck mal, ein Verrückter!"
Vor ihnen stürmt ein Junge
mit einem Ball
zwischen den Bäumen umher.
Wie ein Hase im Zickzack.

„Was machst du?", fragt Benjamin.

Der Junge keucht:

„Ich übe dribbeln.

Ich will so gut sein wie Ballack!"

Benjamin lacht.

„Wollen wir zusammen spielen?

Ich heiße Benjamin.

Und mein Bruder Bobby ist so gut

im Tor wie Oliver Kahn!"

„Ja!", schreit Bobby.

„Ich halte jeden Ball!"

Der Junge gibt ihnen die Hand.

„Ich bin Max.

Und meine Oma ist

ein super Trainer."

Als sie aus dem Park kommen,

treffen sie zwei Mädchen.

Beide haben Fußballschuhe
in den Händen.
„He, könnt ihr
damit auch spielen?",
kreischt Bobby.
„Klar!", antworten sie.
„Besser als jeder Junge!"
„Klasse!", sagt Benjamin.
„Wollt ihr mitspielen?"
Bobby und Benjamin,
Max, Cora und Doro
laufen die Straße entlang.

„Hurra!", jubelt Bobby.

„Wir sind eine richtige Mannschaft!"

Benjamin nickt.

„Aber wir haben

keinen Fußballplatz."

An einem Zaun bleiben

die Mädchen stehen.

„Das ist ein guter Platz!",

sagen sie gleichzeitig.

Hinterm Zaun ist eine große Wiese.

Ein Opa müht sich

mit einem Rasenmäher.

„Was sucht ihr hier?",
fragt der alte Mann misstrauisch.
Die Kinder erzählen ihm alles.
„Bitte!", sagen Doro und Cora.
„Lassen sie uns hier spielen!"
Der alte Mann überlegt.
Schließlich fragt er:
„Könnt ihr Gras mähen?
Könnt ihr aufpassen,
dass keine Hunde draufkacken?"
„Ich glaube,
die Kinder können das!",
sagt plötzlich jemand
hinter ihnen.
Benjamin und die anderen
drehen sich erstaunt um.

Da steht der Vater von Lukas.
Er hat alles mitgehört.
„Ich helfe beim Rasenmähen",
sagt er.
„Und wenn die Kinder
hier spielen dürfen,
helfen andere Eltern
bestimmt auch."
Lukas nickt stolz.
„Was mein Papa verspricht,
hält er!"
Der Opa schmunzelt.
„Na, dann kommt mal rein",
sagt er und öffnet die Tür.
Von diesem Tag an haben die Kinder
ihren eigenen Fußballplatz.
Hier spielen sie
fast jeden Nachmittag.

Oft kommt die Oma von Max mit.
Aber sie gibt
selten Trainingstipps.
Meistens sitzt sie
mit dem Opa auf seiner Bank.
Da schwatzen sie
oder schauen beim Spiel zu.

Bald stehen auch andere Kinder
am Zaun.
Erkan, Sascha, Pia,
und wie sie alle heißen.
Jeder darf mitspielen.
„Wir sind eine große Mannschaft!",
jubelt Bobby glücklich,
und alle schreien: „Jaaa!"
Und das stimmt wirklich.

☞ Was tun die Kinder,
damit sie auf der Wiese
Fußball spielen dürfen?

Lösungen

Dribbeln wie Ballack
Sie möchte dort mit Max dribbeln üben.

Einfach nur spielen
Lukas sollte lernen, ohne Wut und Streit zu verlieren.

Starke Mädchen
Beide treffen beim ersten Versuch ins Tor.

Der Beste im Tor
Der Mann will nicht, dass Bobby auf dem Spielplatz
Fußball spielt.

Ein Platz für alle
Die Kinder mähen das Gras und halten die Wiese sauber.

Eine Geschichte für Erstleser

1. Klasse

Der Bücherbär
Eine Geschichte für Erstleser

Der Wackelzahn
muss weg

ISBN 978-3-401-09461-8

Das Geheimnis der
Dinospur

ISBN 978-3-401-09428-1

Das Geheimnis des
indischen Diamanten

ISBN 978-3-401-09591-2

Zusammen sind wir stark

ISBN 978-3-401-09592-9

Ab 6 Jahren

2. Lesestufe

Eine Geschichte für Erstleser

Erstes Lesen ganz leicht

Für geübte Leseanfänger ist eine längere durchgehende Geschichte genau das Richtige! Mit der großen Schrift, den kleinen Kapiteln und den vielen farbigen Bildern macht das erste Lesen viel Spaß.

Eine kleine Geschichte in kurzen Kapiteln für das erste Lesejahr

Mit Extra-
Leseübungsheft

Klare Textgliederung

Große Fibelschrift

Innenseite aus „Das Geheimnis der goldenen Schlangen" ISBN 978-3-401-08927-0

Jeder Band: Ab 6 Jahren • Eine Geschichte für Erstleser • Durchgehend farbig illustriert 48/56 Seiten • Gebunden • Format 15,9 x 21,1 cm • Mit Bücherbär am Lesebändchen und Leseübungsheft